MIS PRIMEROS LIBROS

EL MORADO ES PARTE DEL ARCO IRIS

por Carolyn Kowalczyk

ilustraciones por Gene Sharp

Traductora: Lada Kratky

Preparado bajo la dirección de Robert Hillerich, Ph.D.

CHILDRENS PRESS ®

CHICAGO

Library of Congress Cataloging in Publication Data

Kowalczyk, Carolyn.
El morado es parte del arco iris.

(Mis primeros libros)
Resumen: Enseña vocabulario y el concepto de las
partes de un todo a través de ejemplos como el pétalo de
una flor y el bigote de un gato.
1. Libros de lectura (Primario) [1. Vocabulario]
I. Título. II. Serie.
PE 119.K77   1985   428.6   85-11693
ISBN 0-516-02068-4

Childrens Press®, Chicago
Copyright © 1988, 1985 by Regensteiner Publishing Enterprises, Inc.
All rights reserved. Published simultaneously in Canada.
Printed in the United States of America.
1 2 3 4 5 6 7 8 9 10 R 94 93 92 91 90

Un pétalo es parte de una flor.

Una gota de agua es parte
de la lluvia.

Una pluma es parte de un pájaro.

Una letra es parte de una palabra.

Un dedo es parte de una mano.

Un tambor es parte de una banda.

Una sonrisa es parte de un payaso.

Una joya es parte de una corona.

Una rueda es parte de un camión.

Un pico es parte de un pato.

Un edificio es parte de una ciudad.

El bigote es parte de un gato.

Una vela es parte de un barco.

La barba es parte de una cabra.

Una ventana es parte de una casa.

Una cola es parte de un ratón.

Un niño es parte de una familia.

¡Y una familia es parte de este
gran, gran, gran, gran MUNDO!

LISTA DE PALABRAS

agua	de	la	pétalo
arco iris	dedo	letra	pico
banda	edificio	lluvia	pluma
barba	el	mano	ratón
barco	es	morado	rueda
bigote	este	mundo	sonrisa
cabra	familia	niño	tambor
camión	flor	pájaro	un
casa	gato	palabra	una
ciudad	gota	parte	vela
cola	gran	pato	ventana
corona	joya	payaso	y

Sobre la autora

A **Carolyn Kowalczyk** le encanta escribir y le gustan mucho los niños. Estudió psicología en la Universidad de Oregon, y lo que le inspira al escribir son sus experiencias en los países extranjeros. Estudió en Francia, enseñó inglés en el Japón, y vive actualmente en Alemania donde escribe y trabaja como niñera. A través de los libros, aprendemos sobre el mundo, y cuando aprendemos más sobre el mundo, vemos cuánto se parece le gente. ¡Especialmente los niños!

Sobre el artista

Gene Sharp ha ilustrado varios libros de la serie Mis Primeros Libros. Dos de ellos son *Too Many Balloons* y *Please, Wind?* Le gustaría dedicar los dibujos de este libro a Laura, a quien le encantan los dibujos, y a Alan, quien está aprendiendo a apreciar las palabras, también.